GW00578881

LUCKY LUKE

31

TORTILLAS POUR LES DALTON

Dessins de MORRIS
Scénario de R. GOSCINNY

MORRIS & GOSCINNY

DUPUIS

D.1988/0089/81 — R.4/2011.
ISBN 978-2-8001-1471-2 — ISSN 0771-8160

Imprimé en Belgique

Cet album a été imprimé sur papier issu
de forêts gérées de manière durable et équitable.

www.dupuis.com

ET JE VEUX QUE LES BARREAUX, LES BOULETS ET LES CHAÎNES SOIENT BRILLANTS ET NETS ! JE VEUX VIVRE DANS UNE CELLULE COQUETTE, COMPRIS ?!

OUI, MAIS JE ME DEMANDE SI, POUR LES RIDEAUX, UN TISSU RAYÉ N'AURAIT PAS ÉTÉ PRÉFÉRABLE... ÇA IRAIT MIEUX AVEC NOS UNIFORMES.

DU CALME, JOE ! LE PÉNITENCIER EST PLEIN. ON VA VOUS TRANSFÉRER DANS UNE AUTRE PRISON, PRÈS DE LA FRONTIÈRE MEXICAINE !

VOUS VERREZ. VOUS Y SEREZ PLUS À L'AISE ET MIEUX GARDÉS !
NOUS SOMMES ASSEZ BIEN GARDÉS ICI ! JE REFUSE DE SORTIR !
ET LE TUNNEL QUE NOUS AVONS COMMENCÉ À CREUSER ICI ?..
NOUS FAIRE SORTIR DE PRISON, C'EST UNE ATTEINTE À NOTRE LIBERTÉ !
ET PUIS D'ABORD COMMENT EST LA CUISINE LÀ-BAS ? JE VEUX VOIR LE MENU !

NOUS NE CÉDERONS QUE DEVANT LA FORCE DES BAÏONNETTES !
ÇA, C'EST BEAU, JOE !
OÙ VA-T-IL CHERCHER TOUT ÇA ?
À LA RESCOUSSE ! LES DALTON FONT LEUR MAUVAISE TÊTE !
BON ALORS ON Y VA ?

ON NE PEUT MÊME PAS GARDER NOS BOULETS ? ON VIENT DE LES CIRER !
TAIS-TOI, AVERELL !
TAIS-TOI, AVERELL !
TAIS-TOI, AVERELL !
ALLEZ ! MONTEZ !
2A

CLIC !

SURTOUT NE LES LAISSEZ PAS S'ÉVADER EN ROUTE !
PAS DE DANGER, CHEF ! ILS SERONT BIEN ESCORTÉS, ET RANTANPLAN NOUS ACCOMPAGNERA !

RAN TAN PLAN ! ICI !

À LA NICHE ? POURQUOI À LA NICHE ? JE VAIS ME JOINDRE AU PIQUE-NIQUE. NON, MAIS SANS BLAGUE !

OUF ! BON DÉBARRAS, ET QU'ON N'EN PARLE PLUS, DE CES DALTON !
© MORRIS & GOSCINNY
28

LA PETITE TROUPE A FAIT BONNE ROUTE ET À LA TOMBÉE DE LA NUIT ARRIVE DEVANT LE RIO GRANDE, QUI MARQUE LA FRONTIÈRE ENTRE LES ÉTATS-UNIS ET LE MEXIQUE...

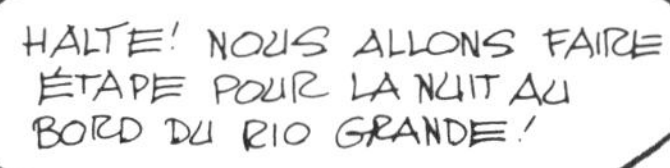
HALTE! NOUS ALLONS FAIRE ÉTAPE POUR LA NUIT AU BORD DU RIO GRANDE!

ON PEUT DESCENDRE?
PAS QUESTION, JOE! VOUS NE SORTIREZ DE CETTE DILIGENCE QUE DANS L'ENCEINTE DU NOUVEAU PÉNITENCIER. NOUS NE PRENONS PAS DE RISQUES!

JE VOUS FAIS APPORTER À MANGER.
J'ADORE LES WAGONS-RESTAURANTS. VOUS VOUS RAPPELEZ LA FOIS OÙ NOUS AVONS ATTAQUÉ UN TRAIN ET OÙ JE
TAIS-TOI, AVERELL!
TAIS-TOI, AVERELL!
TAIS-TOI, AVERELL!

BON APPÉTIT, LES GARS!
3A

OUAILLE!

AVERELL! NE SOIS PAS SI GLOUTON! TU AS MORDU LA MAIN DU GARDIEN!

BON. EH BIEN, ON VA DORMIR... RANTANPLAN, NOUS COMPTONS SUR TOI POUR NOUS ALERTER EN CAS DE DANGER...

BONNE NUIT À VOUS AUSSI...
© MORRIS & GOSCINNY

MAIS DE L'AUTRE CÔTÉ DU FLEUVE, AU MEXIQUE...
CETTE DILIGENCE SI BIEN GARDÉE DOIT TRANSPORTER UN TRÉSOR, EMILIO...
EH BIEN, PUISQUE CES GRINGOS DORMENT, ALLONS LE CUEILLIR, LE TRÉSOR, AMIGOS! ALLONS FAIRE UN TOUR AUX ÉTATS-UNIS. C'EST UNE TERRE D'OPPORTUNITÉ!..
3B

ILS DORMENT TOUS, ET LA DILIGENCE EST ATTELÉE... BERNARDO, PRENDS LES RÊNES, ET EN DIRECTION DU MEXIQUE! J'AI DÉJÀ LE MAL DU PAYS!!...

VAMOS!
ZZZZ
4A

AYAYAYYY!!..

NOUS NE POUVONS PAS LES POURSUIVRE...ILS ONT FRANCHI LA FRONTIÈRE...
QUELLE PERTE!
BAH!..ÇA NOUS DÉBARRASSE DES DALTON!
NON. JE PARLAIS DE LA DILIGENCE...
ZZZZ

GRRRROOOORRE....

OUAH! OUAOUAH!!...
4B

HALTE, AMIGOS! VOYONS LE TRÉSOR QUI SE TROUVE DANS CETTE DILIGENCE!

PAN!

C'EST ÇA, LE TRÉSOR ?! PERO C'EST UNE MONSTRUOSITÉ!

LA NOUVELLE SE RÉPAND RAPIDEMENT.
Nothing Gulch Trumpet
SOUPIR DE SOULAGEMENT AUX ÉTATS-UNIS
LES DALTON EXILÉS AU MEXIQUE

...AUSSI BIEN À MEXICO...
NO! NO! NO! C'EST UNE MONSTRUOSITÉ! VITE, UN MESSAGE À NOTRE AMBASSADEUR À WASHINGTON!
MINISTERIO DE LA JUSTICIA

...QU'À WASHINGTON.
NON! NON! NON! C'EST UNE MONSTRUOSITÉ, CE QUE VOUS ME DEMANDEZ LÀ!
JUSTICE DEPARTMENT

J'EN AI ASSEZ, DES DALTON! SI ON N'EST PAS CAPABLE DE LES GARDER À L'OMBRE, LAISSONS-LES COURIR AU SOLEIL DU MEXIQUE! ÇA NE NOUS REGARDE PLUS!

C'EST CE QUI VOUS TROMPE, LUCKY LUKE... HUISSIER! FAITES ENTRER...

...SON EXCELLENCE MONSIEUR L'AMBASSADEUR DU MEXIQUE.

MON GOUVERNEMENT REFUSE D'HÉBERGER VOS QUATRE BANDITS. LA POLICE DE MON PAYS A ASSEZ À FAIRE AVEC SES PROPRES BANDITS POUR NE PAS AVOIR À S'OCCUPER DES BANDITS DES AUTRES...

QUE CHACUN S'OCCUPE DE SES BANDITS, ET LES VACHES NE SERONT PAS VOLÉES!

ET SI VOUS ACCORDIEZ AUX DALTON LA NATIONALITÉ MEXICAINE? PEUT-ÊTRE QU'ALORS VOTRE POLICE...
SEÑOR MINISTRO! SI VOTRE GOUVERNEMENT NE FAIT PAS LE NÉCESSAIRE POUR RÉCUPÉRER LES DALTON EN VITESSE, C'EST LA RUPTURE DES RELATIONS DIPLOMATIQUES!.. LA GUERRE, PEUT-ÊTRE...

CET INCIDENT POURRAIT CONDUIRE À UN NOUVEL ALAMO!
O.K., O.K. DU CALME! J'IRAI CHERCHER LES DALTON...

MERCI, LUCKY LUKE! LE PAYS VOUS SERA RECONNAISSANT D'AVOIR AIDÉ À ÉVITER CE CONFLIT!
CE SERA BIEN LA PREMIÈRE FOIS QUE LES DALTON RAMÈNERONT LA PAIX...
6A

BIEN ENTENDU, VOUS AVEZ CARTE BLANCHE, MÊME S'IL FAUT PAYER TRÈS CHER POUR RÉCUPÉRER LES DALTON.
VOUS NE VOYEZ PAS UN AUTRE SOUVENIR QUE VOUS VOUDRIEZ QUE JE VOUS RAPPORTE DE LÀ-BAS?

SEÑORES, NOUS SALUTONS VOUS ET VOUS REMERCIONS MUCHO DE NOUS AVOIR CONDUITS CHEZ VOUS CARAMBA.

TU TE DÉBROUILLES BIEN DANS LEUR LANGUE, JOE!
IL EST DOUÉ, JOE! IL EST DOUÉ!
JOE, PUISQUE TU PARLES LEUR LANGUE, DEMANDE-LEUR QUAND EST-CE QU'ON MANGE!
© MORRIS + GOSCINNY

SILENCE, GRINGOS!!
6B

QUI ÊTES-VOUS?
MAIS VOUS PARLEZ NOTRE LANGUE!
OUI! IL SE DÉBROUILLE TRES BIEN!
IL EST DOUÉ! IL EST DOUÉ!
ALORS QUAND EST-CE QU'ON MANGE?

SILENCE, J'AI DIT!!!

SACHEZ QUE VOUS ÊTES DEVANT EMILIO ESPUELAS, LE BANDIT LE PLUS REDOUTÉ DE TOUT LE MEXIQUE, ET ÇA, CE SONT MES HOMMES! MAINTENANT QUI ÊTES-VOUS?

NOUS SOMMES LES DALTON! JE SUIS JOE DALTON, LE BANDIT LE PLUS REDOUTÉ DE TOUS LES ÉTATS-UNIS; ET ÇA, C'EST WILLIAM, ET L'AUTRE, C'EST JACK.
7A

ET MOI, C'EST AVERELL...
TAIS-TOI, AVERELL, TU VAS TOUT GÂCHER!

SI, J'AI ENTENDU PARLER DE VOUS, AMIGOS... MAIS CE QUI NOUS INTÉRESSE, NOUS, CE SONT LES OTAGES QUI PEUVENT RAPPORTER DE L'ARGENT... ET COMME JE PENSE QUE PERSONNE NE PAIERA POUR VOUS SAUVER...
SCRATCH

...NOUS ALLONS DONC VOUS SUPPRIMER, AMIGOS, AVEC NOS EXCUSES... VOUS ÊTES DU MÉTIER ET VOUS SAVEZ QUE NOUS NE POUVONS PAS NOUS PERMETTRE D'AVOIR DES BOUCHES INUTILES PARMI NOUS...

ELLES SONT INUTILES PARCE QUE PERSONNE NE NOUS DONNE À MANGER! NOURRISSEZ-NOUS, ET VOUS VERREZ SI NOS BOUCHES SONT INUTILES!
AVERELL!!

JE VAIS TE DESCENDRE!

BUENO. APRÈS ON DESCENDRA LES TROIS QUI RESTENT.
© MORRIS+GOSCINNY
7B

BUENO, AMIGOS: ADIOS!

UN INSTANT! VOUS ALLEZ COMMETTRE UNE GRAVE ERREUR!

C'EST UNE FOLIE DE SE PRIVER DE L'EXPÉRIENCE DES DALTON! NOUS AVONS UNE TECHNIQUE À TOUTE ÉPREUVE! NOUS POURRONS VOUS AIDER DANS TOUTES VOS ENTREPRISES MALHONNÊTES...
!

...ET PUIS L'HEURE EST AUX ÉCHANGES INTERNATIONAUX!

BUENO... CE SERAIT À ESSAYER... LES AFFAIRES NE MARCHENT PAS FORT EN CE MOMENT...
8A

LIBÉREZ-LES!
YAHOOOO!
!

VITE! COUPEZ LES CORDES! VITE, CARAMBA!!

PENDANT CE TEMPS, SUR LA RIVE AMÉRICAINE DU RIO GRANDE...
...ET LA DILIGENCE A TRAVERSÉ LE FLEUVE ICI MÊME, LUCKY LUKE.
BON, J'Y VAIS.
J'ESPÉRAIS NE PLUS AVOIR À RENCONTRER CETTE ERREUR DE LA NATURE!...
C'EST BÊTE, UN CHEVAL, MAIS C'EST AFFECTUEUX. IL ME REGARDE AVEC DE BONS YEUX...
-MORRIS + © GOSCINNY-

RESTE LÀ, RANTANPLAN. J'AURAI ASSEZ D'ENNUIS COMME ÇA...
JE VEUX BIEN. OÙ ALLONS-NOUS?
8B

VOICI, AMIGOS! DES TORTILLAS, DES TAMALES, DES FRIJOLES, LE TOUT BIEN ÉPICÉ!
AVERELL, CESSE DE BAVER!

SCROUNCH... J'AIME BIEN LA CUISINE EXOTIQUE! COMMENT S'APPELLE CETTE CROÛTE DÉLICIEUSE AUTOUR DES FRIJOLES?
ÇA S'APPELLE UN BOL EN TERRE CUITE, AMIGO..
SCROUNCH!
GLOUP!
MIAM!

VOUS AVEZ TOUS UN BEL APPÉTIT! IL FAUDRA ÊTRE TRÈS UTILES POUR LE JUSTIFIER... SINON IL FAUDRA VOUS REMETTRE À FAIRE DE L'ÉQUITATION SOUS LES BRANCHES, CHAMACOS!

LAISSEZ-NOUS LE TEMPS DE NOUS ACCLIMATER, D'APPRENDRE VOS USAGES, VOTRE LANGUE...
OUAIS... PAR EXEMPLE, COMMENT DIT-ON: "QUAND EST-CE QU'ON MANGE, ICI?"

"CUANDO SE COME, AQUI?"
COUACOMÉKIKI... COUACOMÉKIKI... C'EST FACILE...
9A

PENDANT CE TEMPS, LUCKY LUKE ET SES COLLABORATEURS ONT FRANCHI LE RIO GRANDE ET SE TROUVENT DONC EN TERRITOIRE MEXICAIN...

ALORS, MON PAUVRE RANTANPLAN, TU N'AS TOUJOURS PAS APPRIS À NAGER? MAIS AUSSI POURQUOI NOUS AS-TU SUIVIS À TRAVERS LA RIVIÈRE?
©: MORRIS + GOSCINNY

SI J'AVAIS SU QUE LES ROUTES ÉTAIENT INONDÉES, JE NE SERAIS PAS VENU POUR TOUT L'OS DU MONDE!

ET PAS TRÈS LOIN DE LÀ...
CARAMBA, AMIGOS! IL FAUT VOUS DÉCIDER À FAIRE QUELQUE CHOSE! VENEZ, JE VAIS VOUS MONTRER LE PAYS; ÇA FAIT TROIS HEURES QUE VOUS DÉJEUNEZ!
EST-CE BIEN LA PEINE DE SORTIR JUSTE AVANT LE DÎNER?
9B

LA MONTAGNE, C'EST NOTRE DOMAINE...
L'ESSENTIEL, VOYEZ-VOUS, DANS NOTRE MÉTIER, C'EST LE CALME ET LE SANG-FROID...
SCROUNCH...

QUI VOUS MANQUENT PARFOIS A VOUS, LATINS...
D'ICI VOUS POURREZ VOIR LA TOPOGRAPHIE DE LA RÉGION OÙ NOUS TRAVAILLONS.

LÀ-BAS, C'EST LE VILLAGE DE XOCHITECOTZINGO, ET LÀ-BAS LA ESTANCIA, LA PROPRIÉTÉ DE DON DOROTEO PRIETO, LE PLUS RICHE RANCHERO DU PAYS.
OUI, DONC JE VOUS DISAIS, LE CALME, LA PONDÉRATION...

D'ICI ON PEUT VOIR TOUS CEUX QUI APPROCHENT... TENEZ, COMME CE GRINGO, LÀ-BAS, AVEC LE CHEVAL ET LE CHIEN
...LE SANG-FROID, À TOUTE ÉPR...

LUCKY LUKE! LUCKY LUKE! LUCKY LUKE!

CHUT, AMIGO! C'EST NOTRE REPAIRE, ICI. IL NE FAUT PAS LE FAIRE REPÉRER!
LUCKY LUKE! LUCKY LUKE!

VOUS NE LE CALMEREZ PAS QUAND SON SANG-FROID S'ÉCHAUFFE
J'AI UN TRANQUILLISANT, COMPAÑERO.
LUCKY LUKE! LUCKY LUKE!

SCHTONK
© MORRIS + GOSCINNY
10

QU'EST-CE QUI VOUS A PRIS EN VOYANT CE GRINGO, CARAMBA?..
GRINGO? QUEL GRINGO?

MAIS TU SAIS BIEN, JOE, LUCKY L...
TAIS-TOI, AVERELL!

"LUCKY LUKE" EST UNE EXPRESSION AMÉRICAINE... UNE EXCLAMATION COMME "CARAMBA" CHEZ VOUS...

À PROPOS, COUACOUAKIKICOME?
VOUS DITES?
BEN, JE VOUS DEMANDAIS EN ESPAGNOL QUAND EST-CE QU'ON MANGE ICI?

HAHAHA! LUKYLUK!! VOUS N'ÊTES PAS DOUÉ POUR LES LANGUES, AMIGO!

ÉCOUTEZ-MOI, VOUS TOUS! LUCKY LUKE EST À NOS TROUSSES! ÇA VEUT DIRE QUE LE GOUVERNEMENT AMÉRICAIN EST PRÊT À PAYER POUR NOTRE CAPTURE! SI ESPUELAS LE SAIT, IL NOUS VENDRA À LUCKY LUKE! COMPRIS?
RECOMMENCE LENTEMENT, JOE...

PENDANT CE TEMPS, DANS LE VILLAGE ENDORMI ET ÉCRASÉ DE SOLEIL, QUI PORTE COURAGEUSEMENT LE NOM DE XOCHITECOTZINGO...
© MORRIS & GOSCINNY

POLICIA

NO, SEÑOR LUKE... PAS DE TRACE DES DALTON DANS LA RÉGION...
JEFE

EH BIEN, JE VAIS RESTER DANS LA RÉGION, CHEF, ET EXPLORER UN PEU... IL Y A UN HÔTEL, ICI ?
UN HOTEL ? NO... MAIS UNE CANTINA OÙ JE VOUS INVITE À GOÛTER NOTRE TÉQUILA...

C'EST TOUT DE MÊME PRATIQUE, UN CHEVAL, POUR VOYAGER...
CANTINA
PULQUES FINOS

VOUS METTEZ DU SEL SUR LA MAIN... VOUS LÉCHEZ...

...ET HOP ! VOUS BUVEZ ! SALUD !

RAFRAÎCHISSANT, NO ?
12A

AU FAIT, AMEDEO... TU POURRAIS PEUT-ÊTRE LOGER LE GRINGO CHEZ TOI DANS TON ARRIÈRE-BOUTIQUE ?
LOGER QUELQU'UN CHEZ MOI ?.. J'AI BIEN UNE "PETATE"... UNE PAILLASSE, MAIS...

CE SERA PARFAIT. JE M'Y INSTALLE.
BUENO !.. JE VOUS LAISSE... JE VOUS PRÉVIENDRAI S'IL Y A DU NOUVEAU...

CANTINA

AY ! PERO QUE FAIS-TU, AMEDEO ?
LAISSE-MOI, MANUEL ! NE ME DÉRANGE PAS. C'EST LE JOUR DE L'INAUGURATION !
CANTINA
GRAN HOTEL

TSSK TSSK ! DÈS QUE LES GRINGOS ARRIVENT, LA VIE COMMENCE À CHANGER ET LE PROGRÈS BOUSCULE LA TRADITION !
© MORRIS + GOSCINNY
12B

SALUT, AMEDEO! JE VAIS VOIR LE CHEF DE LA POLICE.
MAIS, SEÑOR, C'EST L'HEURE DE LA SIESTE!
GRAN HOTEL

TIENS? JE ME DEMANDE OÙ EST RANTANPLAN...

AMEDEO! VOUS DONNEREZ À MANGER À MON CHEVAL... ET POUR MON CHIEN, UN OS!
BONNG!

AH! TU ÉTAIS LÀ, MON VIEUX?... DÉSOLÉ DE T'AVOIR RÉVEILLÉ...
CRÉTIN!

AMEDEO! SURTOUT N'OUBLIEZ PAS L'OS!
BONNG!

ZZZ...
ZZZ...
ZZZZ...
ZZZZZ...
ZZZZ...
ZZZ...
ZZZ...
ZZZZ...
ZZZ...
ZZZ...
HOSPITAL
SILENCIO
ZZZ...
ZZZ...
©MORRIS + GOSCINNY

TIENS? VOUS NE FAITES PAS LA SIESTE, AMIGO?
NO. C'EST POUR ÇA QUE JE VIENS VOIR LE DOCTEUR. JE SOUFFRE D'INSOMNIE VERS LA FIN DE L'APRÈS-MIDI...
HOSPITA
SILENCIO

...MAIS POUR LE VOIR, JE DOIS ATTENDRE QU'IL AIT FINI SA SIESTE... QUAND IL MET CETTE PANCARTE, C'EST QU'IL DORT.
SILENCIO

SALUT, CHEF! TOUT À L'AIR CALME DANS VOTRE MÉTROPOLE.
XOCHITECOTZINGO EST TRÈS PAUVRE. LES BANDIDOS NE NOUS DÉRANGENT PAS. JE NE CROIS PAS QUE VOUS TROUVEREZ LES DALTON ICI, AMIGO...

PUISQU' "IL" EST DANS LA RÉGION, NOUS AVONS INTÉRÊT À NE PAS NOUS MONTRER...
QUI ÇA, "IL"? LUCKY LU...?
CHUT, AVERELL! TU SAIS QUE CE NOM LE REND NERVEUX!

LUKYLUK, AMIGOS! IL VA S'AGIR DE VOUS METTRE AU TRAVAIL!...

...J'EN AI ASSEZ DE VOUS NOURRIR À NE RIEN FAIRE!
MAIS ON VOUS A DIT QU'IL NOUS FAUT DU TEMPS POUR NOUS ACCLIMATER! DANS QUELQUES JOURS...
C'EST ÇA, ET EN ATTENDANT COCOCUACUAKIKI?

LUKYLUK!
PERSONNE COCOCUACUAKIKI! PLUS PERSONNE COCOCUACUAKIKI QUOI QUE CE SOIT! SI VOUS NE TRAVAILLEZ PAS, JE VAIS VOUS FAIRE PASSER POUR DE BON L'ENVIE DE COCOCUACUAKIKER!
14 A

COCOCUACUAKIKI, COCOCUACUAKIKI! LUKYLUK DE LUKYLUK!
?

JE LE TROUVE DRÔLE, NOTRE CHEF, PACO...
C'EST PARCE QU'IL PARLE ANGLAIS QUE TU LE TROUVES DRÔLE, PEPE...

IL FAUT FAIRE QUELQUE CHOSE, SINON CETTE BRUTE VA NOUS REPENDRE! IL Y A UN PATELIN, PAS LOIN...
© MORRIS & GOSCINNY

ON VA ATTAQUER LA BANQUE... ÇA FERA PATIENTER ESPUELAS.
OH OUI! ÇA SERA INTÉRESSANT DE VISITER UNE BANQUE ÉTRANGÈRE
!
ON AURA L'IMPRESSION DE FAIRE DU TOURISME!

PEUT-ÊTRE QU'APRÈS ON VISITERA UNE DE LEURS PRISONS... COMME ÇA, QUAND NOUS RETOURNERONS CHEZ NOUS, NOUS POURRONS DIRE À OXFORD BILL, QUI SE VANTE TOUJOURS D'AVOIR ÉTÉ EN PRISON EN ANGLETERRE, QUE...

NE L'ÉTRANGLE PAS, JOE!!
JE LES TROUVE DRÔLES, CES GRINGOS, PACO.
CHAQUE PAYS A SES HABITUDES, PEPE. IL N'Y A PAS DE QUOI S'ÉNERVER...
14 B

NOUS ALLONS VOUS MONTRER COMMENT ATTAQUER UNE BANQUE !
UNE BANQUE ?.. OUI, JE CROIS QU'IL Y A UNE BANQUE À XOCHITECOTZINGO, MAIS...

...POUR NOUS, LES AFFAIRES, C'EST DE CAPTURER QUELQU'UN QUI PUISSE NOUS RAPPORTER UNE RICHE RANÇON...

JUSTEMENT, NOUS ALLONS VOUS APPRENDRE DE NOUVELLES TECHNIQUES ! L'ARGENT À LA BANQUE, C'EST DE L'ARGENT SÛR !
BUENO. JE VOUS SUIS, AMIGOS !

VOYEZ-VOUS, LA TECHNIQUE EST LA SUIVANTE : Ⓐ SE MASQUER LE VISAGE AVEC UN FOULARD ; Ⓑ POINTER UN REVOLVER VERS LE GUICHET ET EXIGER L'OUVERTURE DU COFFRE ; Ⓒ S'ENFUIR EN TIRANT DES COUPS DE FEU.
MUY BIEN, AMIGO
15 A

NOUS SOMMES À XOCHITECOTZINGO...
BON. OÙ EST LA BANQUE ?

JE NE SAIS PAS. JE VAIS DEMANDER À UN DE CES VILLAGEOIS.
N'OUBLIEZ PAS : Ⓐ SE COUVRIR LE VISAGE AVEC UN FOULARD...
© MORRIS + GOSCINNY

TU SAIS OÙ SE TROUVE LA BANQUE, AMIGO ?
EL BANCO ? SI ! C'EST LA MAISON DU COIN, LÀ-BAS !

GRACIAS, AMIGO !
À VOTRE SERVICE, DON EMILIO !

C'EST PAR LÀ, AMIGOS !
????
Emilio Espuelas
15 B

CE N'EST PAS LE MOMENT DE PARLER CUISINE ! VOUS ALLEZ ME REMETTRE CETTE BANQUE EN ÉTAT ! JE VEUX UN VRAI GUICHET ! DONNEZ UN COUP DE BALAI, ET QUAND NOUS REVIENDRONS, JE VEUX VOIR UN COFFRE ! ET UN COFFRE PLEIN !!

16 B

LE GRINGO A RAISON! J'AI HONTE DE MON PAYS! METS-TOI AU TRAVAIL, OU TU AURAS AFFAIRE À MOI! LUKYLUK DE LUKYLUK!
Banco

ENFIN! PASSONS AU DERNIER EXERCICE: © APRÈS L'ATTAQUE, S'ENFUIR EN TIRANT DES COUPS DE FEU!

PAN!
PAN!
PAN!
PAN!
PAN!
17A

CHUT!
© MORRIS & GOSCINNY

À LA CANTINA-HÔTEL...
AMEDEO! QUE SONT CES COUPS DE FEU?
DES COUPS DE FEU, SEÑOR? QUELS COUPS DE FEU?

AY, AMEDEO! VERSE-MOI UNE TEQUILA! JE FÊTE UN ÉVÉNEMENT! LE PROGRÈS EST ENFIN ARRIVÉ À MA BANQUE! J'AI ÉTÉ ATTAQUÉ!!

ATTAQUÉ?
OH! BIEN SÛR, CE N'ÉTAIT PAS UNE VRAIE ATTAQUE; MA BANQUE N'EST PAS PRÊTE... MAIS LES BANDITS M'ONT DONNÉ DES CONSEILS POUR LA METTRE EN ÉTAT, ET ILS M'ONT PROMIS DE REVENIR...

...EMILIO ESPUELAS A MÊME AJOUTÉ: "METS-TOI AU TRAVAIL, OU TU AURAS AFFAIRE À MOI...

...LUKYLUK DE LUKYLUK!"
17B

IL Y AVAIT QUATRE BONSHOMMES EN COSTUME RAYÉ AVEC VOTRE ESPUELAS?
LUKYLUK! COMMENT LE SAVIEZ-VOUS?...

CE N'EST QUE PAR LES DALTON QUE CE BANDIT LOCAL A PU CONNAÎTRE MON NOM!
POLICIA
AVISO

CHEF, JE CROIS QUE LES DALTON SONT DANS LA RÉGION, ET JE CROIS MÊME QU'ILS SONT VENUS À XOCHITECOTZINGO...
FÉLICITATIONS, AMIGO, ET BONNE CHASSE!

...ILS ÉTAIENT EN COMPAGNIE D'UN CERTAIN EMILIO ESPUELAS.
ESPUELAS?!
18A

TOUS CEUX QUI SE SONT FROTTÉS À ESPUELAS SONT TOMBÉS!

JE NE DISPOSE PAS DE FORCES SUFFISANTES POUR LUTTER CONTRE LUI, ET JUSQU'À PRÉSENT, IL A LAISSÉ LE VILLAGE TRANQUILLE! ESPUELAS A SON REPAIRE DANS LA MONTAGNE. QU'IL Y RESTE!

AMIGO! N'Y ALLEZ PAS! VOUS ALLEZ PROVOQUER DES CATASTROPHES!
J'AI UNE MISSION À REMPLIR, ET J'IRAI CHERCHER LES DALTON OÙ QU'ILS SE TROUVENT!
POLICIA

J'AI ATTACHÉ RANTANPLAN À LA PORTE DE L'HÔTEL. COMME ÇA IL NE NOUS GÊNERA PAS...

JE ME DEMANDE POURQUOI IL M'A ACCROCHÉ UNE PORTE AUTOUR DU COU... PEUT-ÊTRE QUE NOUS SOMMES À LA POURSUITE DE BANDITS, ET QU'IL FAUDRA LES ENFERMER DÈS QUE NOUS LES RETROUVERONS...
© MORRIS & GOSCINNY
18B

COMMENT ALLONS-NOUS FAIRE POUR RETROUVER LE REPAIRE DES BANDITS DANS CES MONTAGNES?..
JE N'AIME PAS BEAUCOUP CE GENRE D'EXERCICE...JE SUIS UN CHEVAL DE PLAINE, MOI... PAS UN MULET.'

PENDANT CE TEMPS...
VOTRE DÉMONSTRATION DE HOLD-UP NE M'A PAS CONVAINCU... JE PRÉFÈRE NOTRE VIEILLE INDUSTRIE D'ENLÈVEMENTS ET DE RANÇONS!
ÉCOUTEZ, JE NE VEUX PAS JOUER LES MISSIONNAIRES, MAIS...

HAY UN GRINGO QUE SE PASEA POR LA MONTAÑA SEGUIDO POR UN PERRO.'
19 A

IL Y A UN DE VOS COMPATRIOTES QUI SE PROMÈNE DANS LA MONTAGNE, SUIVI PAR UN CHIEN. VOUS CONNAISSEZ?
LUCKY LUKE!

RÉPONDEZ À MA QUESTION, AU LIEU DE JURER!
JE... NOUS NE VOYONS PAS DU TOUT QUI ÇA PEUT ÊTRE....

EH BIEN, SUIVEZ-MOI! JE VAIS VOUS MONTRER COMMENT NOUS TRAVAILLONS! NOUS ALLONS CAPTURER CE GRINGO ET EN TIRER UNE BONNE RANÇON EN DOLLARS! IL A SÛREMENT DE LA FAMILLE CHEZ LUI!...

NOUS DEVONS EMPÊCHER QUE LUCKY LUKE SOIT CAPTURÉ! SINON IL NOUS ACHÈTERA À ESPUELAS.'
COMPRIS, JOE!
RÉPÈTE, JOE...

RANTANPLAN, TU ES INCORRIGIBLE! JE VAIS TE DÉBARRASSER DE CETTE PORTE, ET TU VAS RETOURNER AU VILLAGE! C'EST DANGEREUX, ICI!
C'EST À SE PRENDRE LA TÊTE ENTRE LES SABOTS!
© MORRIS + GOSCINNY
19B

FAUT-IL QUE J'AILLE CHERCHER UNE AUTRE PORTE?

UN PEU PLUS LOIN...
IL NE SE DOUTE DE RIEN... DANS LE PLUS GRAND SILENCE, NOUS ALLONS L'ENCERCLER ET LE CAPTURER!

AAAAT...
?!

TCHOUMMM!
À TES SOUHAITS, JOE!

MERCI, WILLIAM! MERCI, JACK!

POUEEET...
SILENCE!

?

?
PAN

MAIS QUE FAITES-VOUS? TOUT EST RATÉ! IL SAIT OÙ NOUS SOMMES!
PUISQUE C'EST RATÉ, IL N'Y A PLUS QU'À LE DESCENDRE!
PAN! PAN! PAN!

ESSAYONS DE FUIR, RANTANPLAN... SUIS-MOI...
PAN! PAN!
PAN! PAN!

MAIS LE BRAVE RANTANPLAN N'A PAS SUIVI... OBÉISSANT À UN NOBLE INSTINCT ANCESTRAL, IL GARDE LA PORTE!

LUKYLUK ! VOUS AVEZ TOUT FAIT RATER !

ET JE COMMENCE À ME DEMANDER SI VOUS NE L'AVEZ PAS FAIT EXPRÈS !..
JAMAIS DE LA VIE ! CE TRAVAIL EST NOUVEAU POUR NOUS. NOUS L'AVONS RATÉ PAR MALADRESSE !
CUACUA...
CHHHUT !

PATRON ! LE GRINGO S'EST ÉCHAPPÉ, MAIS LE CHIEN EST TOUJOURS LÀ...

ALLONS LE CHERCHER... LES CHIENS ONT BONNE MÉMOIRE... JE SUIS CURIEUX DE SAVOIR SI VOUS ÊTES DES ÉTRANGERS POUR LUI...

ON VA VOUS AIDER À CAPTURER CE...
NO, NO, AMIGOS. LAISSEZ-MOI FAIRE. ET DONNEZ-MOI VOS REVOLVERS...
21A

...JE NE VOUDRAIS PAS QUE VOUS FASSIEZ DU MAL À CETTE BÊTE PAR... MALADRESSE...

GRRRROARRRRR...
ATTENTION, PATRON ! IL EST FÉROCE...

IL FAUT L'AMADOUER... VA CHERCHER UN OS, BERNARDO

© MORRIS + GOSCINNY

SCROUNCH... GROUP... SCROTCH...

BUENO! CHACUN DE VOUS, LES DALTON, VA L'APPELER. SI CE CHIEN VA VERS VOUS EN REMUANT LA QUEUE, C'EST QU'IL VOUS CONNAÎT!
SCROUP... GROUNTCH... GROP...

VOUS COMMENCEZ, AMIGO!
GRONTCH... SCROUTCH... GRAP...

ICI...
PLUS FORT!
SGRAT... CRROUNTCH... CROTCH...

I...ICI!
?
22A

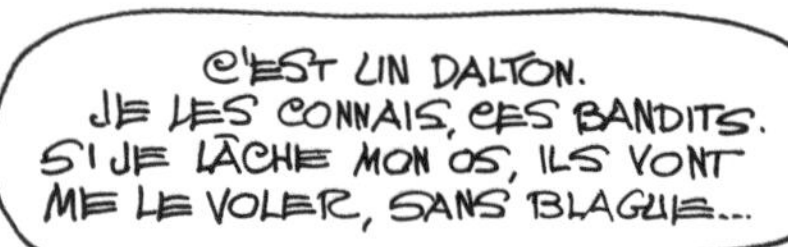
C'EST UN DALTON. JE LES CONNAIS, CES BANDITS. SI JE LÂCHE MON OS, ILS VONT ME LE VOLER, SANS BLAGUE...

VOUS POUVEZ Y ALLER. CE CHIEN EST TELLEMENT BÊTE QU'IL NE RECONNAÎT PERSONNE...
GRONTCH... SCROUTCH... GRAP...

ICI!
GROATCH... SCROUNTCH... SPROTCH...

ICI! ALLONS! ICI! AU PIED!
SCROATCH... GROUP... CRISS...
MORRIS + © GOSCINNY

À TOI, AVERELL...
SCRITCH... GROPF... SPROUTCH...

ICI, RANTANPLAN!
!!?!
SCROUTCH ?...
22B

LE CHIEN NE VOUS CONNAÎT PEUT-ÊTRE PAS, MAIS VOUS SEMBLEZ CONNAÎTRE LE CHIEN...

NON, NON, NON ! CHEZ NOUS, "RANTANPLAN", ÇA VEUT DIRE CHIEN... C'EST UN IDIOTISME.

LUKYLUK ! QUELLE LANGUE DIFFICILE QUE LA VÔTRE !..

ADMETTONS... QU'ON CHASSE CE RANTANPLAN D'ICI !

EN VOILÀ UNE FAÇON DE TRAITER LES CLIENTS !
PAN ! PAN !
23 A

PENDANT CE TEMPS, CHEZ LE CHEF DE LA POLICE DE XOCHITECOTZINGO —
IL ME FAUT DU RENFORT POUR CAPTURER LES DALTON. VOUS POURREZ METTRE LE GRAPPIN SUR ESPUELAS PAR LA MÊME OCCASION !
JE VOUS AI DÉJÀ DIT QUE JE NE DISPOSE PAS DE FORCES SUFFISANTES. JE SUIS RESPONSABLE DU MAINTIEN DE LA PAIX DANS CETTE RÉGION...

...À CAUSE DE VOUS, LES GENS PASSENT DES JOURNÉES BLANCHES ! JE DOIS VOUS DEMANDER DE QUITTER XOCHITECOTZINGO !

TRÈS BIEN. JE M'INCLINE, MAIS JE RESTE DANS LA RÉGION !
POLICIA

Banco
TIENS ? TE VOICI ENFIN, TOI !
IL Y A DES JOURS COMME ÇA, OÙ TOUS LES ENNUIS ARRIVENT EN MÊME TEMPS !
© MORRIS + GOSCINNY
23 B

LA DERNIÈRE GAFFE D'AVERELL A FAILLI NOUS COÛTER CHER..
CE N'ÉTAIT PAS UNE GAFFE, C'ÉTAIT UN IDIOTISME!

IL FAUT ALLER À XOCHITECOTZINGO ET SUPPRIMER LUCKY LUKE UNE FOIS POUR TOUTES!

NOUS VOUS AVONS FAIT RATER LA CAPTURE DE CE GRINGO! L'HONNEUR DES DALTON EST EN JEU! NOUS VOULONS NOUS RACHETER EN ALLANT LE CAPTURER NOUS-MÊMES!

ET QUI ME DIT QUE VOUS N'EN PROFITEREZ PAS POUR ME BRÛLER LA POLITESSE? VOUS VALEZ UNE RANÇON, PEUT-ÊTRE, NOM D'UN RANTANPLAN!...
24A

VOUS DOUTEZ DE NOUS?!
SI, AMIGO! JE VOUS LAISSE PARTIR MAIS JE GARDE UN OTAGE...

...LUI!
AVERELL?.. BON...

AVERELL, NE GAFFE PAS PENDANT NOTRE ABSENCE! S'IL TE PARLE DE LUCKY LUKE, BOUCHE COUSUE!
QUELQUEFOIS JE ME DEMANDE SI TU ME PRENDS POUR UN IMBÉCILE, JOE!..

NE VOUS INQUIÉTEZ PAS POUR MOI, LES GARS! BOUCHE COUSUE!

AMIGO, VOUS SAVEZ CE QU'EST LA TEQUILA?
UN IDIOTISME?
© MORRIS + GOSCINNY
24B

AH? ÇA SE BOIT, CETTE TEQUILA?
LUKYLUK! AMIGO! VOUS ALLEZ VOIR QUE CE N'EST PAS POUR LES RANTANPLANS!

PENDANT CE TEMPS, À XOCHITECOTZINGO...
C'EST LE SEUL VILLAGE DE LA RÉGION. LUCKY LUKE DOIT S'Y TROUVER!
C'EST UNE PETITE VILLE COMME CHEZ NOUS. QUAND NOUS ARRIVONS, LES RUES SE VIDENT...
OUAIS, C'EST RÉCONFORTANT DE VOIR QUE LES HOMMES SONT LES MÊMES PARTOUT.

IL Y A UN HÔTEL, LÀ-BAS. ALLONS VOIR SI NOTRE VERMINE Y HABITE...

SEÑORES?
TEQUILA CUERVO
PULQUES FINOS
VOUS AVEZ UN ÉTRANGER, ICI, DU NOM DE LUCKY LUKE?
CERVEZA Montezuma
NO HAY MEJOR
25A

UN INSTANT; JE VAIS CONSULTER MON REGISTRE...
TEQUILA CUERVO

Lucky Luke

NON. IL A QUITTÉ L'HÔTEL AUJOURD'HUI. HIER, J'ÉTAIS PLEIN. AUJOURD'HUI, JE SUIS VIDE. JE PEUX VOUS LOGER SI VOUS VOULEZ.
TEQUI CUERVO

QU'EST-CE QU'ON FAIT...
...JOE?
IL EST PEUT-ÊTRE RENTRÉ AUX ÉTATS-UNIS, ET NOUS AURONS LA PAIX. RETOURNONS VITE CHEZ ESPUELAS. JE ME MÉFIE D'AVERELL.

Banco
SEÑORES! SEÑORES! MA BANQUE EST PRÊTE! J'AI UN GUICHET! UN COFFRE! SEÑORES!!
© MORRIS + GOSCINNY
25B

LUCKY LUKE A DÉCIDÉ DE NOUS OUBLIER ! NOUS SOMMES LIBRES !
NOUS POURRONS BRÛLER LA POLITESSE À ESPUELAS !
NOUS ARRIVONS !... POURVU QU'AVERELL N'AIT PAS GAFFÉ !

AH ! AMIGOS. CONTENT DE VOUS VOIR. NOUS VOUS AVONS PRÉPARÉ UNE PETITE RÉCEPTION...
26A

MAIS... QUE SE PASSE-T-IL ?
NOUS VOUS RECEVONS AVEC TOUS LES HONNEURS DUS À DES GENS DE VOTRE VALEUR. HAHAHA !

EH ! LES GARS... HIPS... IL A ESSAYÉ DE ME FAIRE PARLER, MAIS JE NE LUI AI PAS DIT... HIPS... QUE LUCKY LUKE PAIERAIT CHER POUR NOUS CAP... HIPS... ...CAPTURER !

CUACOCOMECOU... HIPS... ON MANGE ?
ENFERMEZ-LES !
26B

PENDANT CE TEMPS, DANS LES ENVIRONS DE XOCHITECOTZINGO...
NOUS ALLONS COUCHER ICI CETTE NUIT... RANTANPLAN, ESSAIE DE MONTER LA GARDE.

ZZZZ
ZZZZ
ZZZZZ
© MORRIS + GOSCINNY
26C

DEBOUT, BANDIDO! NE CHERCHE PAS TON ARTILLERIE, C'EST MOI QUI L'AI.
ZZZZ

QUI ÊTES-VOUS? OÙ M'EMMENEZ-VOUS?
PAS DE QUESTIONS, BANDIDO! FINIS DE SELLER TON CHEVAL, ET EN ROUTE!

QUE FAIS-TU, BANDIDO?

JE SIFFLE MON CHIEN DE GARDE! IL FAUT QUE JE LE RÉVEILLE. JE NE PEUX TOUT DE MÊME PAS L'ABANDONNER ICI...

JAMAIS DE REPOS! JAMAIS DE REPOS! J'AI BIEN ENVIE DE LE LAISSER SE DÉBROUILLER TOUT SEUL!
27 A

DESCENDS DE CHEVAL, ET SUIS-NOUS! LES BRAS EN L'AIR...

EH BIEN? POURQUOI ME RÉVEILLE-T-ON EN PLEINE NUIT? QUI EST CET HOMME?
NOUS L'AVONS TROUVÉ DANS LA PROPRIÉTÉ, DON DOROTEO. C'EST PROBABLEMENT UN DES BANDITS D'EMILIO ESPUELAS.
© MORRIS et GOSCINNY
27B

JE NE SUIS PAS UN BANDIT. JE SUIS UN REPRÉ-SENTANT DE LA LOI. J'AI SUR MOI DES PAPIERS POUR LE PROUVER.
NOUS ALLONS VOIR... RODRIGUEZ, VA CHERCHER.

CES CHIHUAHUAS MEXICAINS SONT VRAIMENT AUSSI INTELLIGENTS QUE MINUSCULES...

MERCI, RODRIGUEZ

COMMENT A-T-IL FAIT ÇA ????

DE TOUTE ÉVIDENCE, MES HOMMES ONT FAIT UNE ERREUR, SEÑOR. EXCUSEZ-LES, CAR, VOYEZ-VOUS, NOUS CRAIGNONS UN ATTENTAT DE LA PART D'ESPUELAS...
© MORRIS + GOSCINNY

JE SUIS DOROTEO PRIETO, LE PLUS IMPORTANT RANCHERO DE LA RÉGION. VOUS ÊTES LE BIENVENU DANS MON HUMBLE DEMEURE...

UN PEU PLUS TARD
CE TABAC EST UN MÉLANGE QUE DON DOROTEO FAIT VENIR DE LONDRES.
TABAC

NOTRE AVOINE VOUS PLAIRA, AMIGO C'EST UN MÉLANGE QUE NOTRE MAÎTRE FAIT VENIR DU TEXAS.

CARAMBA! QUELLE DRÔLE DE RACE, CE CHIEN! JE ME DEMANDE D'OÙ PEUT VENIR CE MÉLANGE...

VENEZ DONC VOUS RESTAURER, AMIGO.
JE COMPRENDS QUE TOUTES CES RICHESSES EXCITENT LA CONVOITISE DES BANDITS...

EH OUI... LE RÊVE D'ESPUELAS SERAIT DE M'ENLEVER POUR POUVOIR EXIGER UNE RANÇON...

...VOYEZ-VOUS, IL FAUDRAIT DÉBARRASSER LE PAYS DE CE BANDIT ET DE SA BANDE...
?

...EXCUSEZ-MOI... HOP!
!

...J'AIMERAIS FAIRE PROFITER LA RÉGION DE MA RICHESSE, MAIS JE NE PEUX LE FAIRE TANT QUE ESPUELAS EST EN LIBERTÉ. IL RANÇONNERAIT LES HABITANTS...
CLAC!
29 A

JE POURRAIS PEUT-ÊTRE VOUS AIDER...

...JE DOIS CAPTURER LES DALTON. OR LES DALTON SE SONT RÉFUGIÉS CHEZ EMILIO ESPUELAS...

...IL ME FAUDRA DONC METTRE ESPUELAS HORS D'ÉTAT DE NUIRE.

EH BIEN, SEÑOR LUKE, UNISSONS NOS EFFORTS!

KAÏÏÏÏÏ!
?
?

CARAMBA! QUEL CABOTIN, CE GRINGO!..
© MORRIS ET GOSCINNY — 29B

A l'occasion de leurs 14 ans
et 5 mois de mariage

DON DOROTEO PRIETO Y ZULOAGA
Y PADILLA
son épouse
DONA MARIA PILAR PRIETO
Y EMETERIO
et leurs enfants offrent une

FIESTA

dans leur propriété

VENEZ TOUS!
CONCOURS DE CHARROS
COMBATS DE COQS
LES MARIACHIS
SONT INVITES

PATRON! REGARDEZ CETTE AFFICHE!
FIESTA

LUKYL... CARAMBA!

VOICI VOTRE CHANCE DE VOUS RACHETER, LES DALTON! UNE OCCASION DE VOUS INTRODUIRE CHEZ DON DOROTEO PRIETO!

AUCUN DE MES HOMMES NE PEUT S'APPROCHER DE LA PROPRIÉTÉ. ILS SONT TROP CONNUS. MAIS VOUS, VOUS POURREZ, DÉGUISÉS EN MARIACHIS!
EN MARIACHIS ?
ÇA SE MANGE ?

LES MARIACHIS SONT DE PETITS GROUPES DE CHANTEURS ET DE GUITARISTES QUI VONT DONNER L'AUBADE DANS LES FÊTES.

MAIS NOUS NE SAVONS NI CHANTER NI JOUER...
NOUS N'AVONS JAMAIS PINCÉ LES CORDES D'UNE GUITARE...
QUANT À NOS CORDES VOCALES...

C'EST ÇA OU LA CORDE TOUT COURT!
MOI, JE CONNAIS UNE CHANSON...

I'M A POOR LONESOME COWBOY AND A LONG WAY FROM HOME...

DU CALME, JOE!...
JOE, DU CALME!..
ALBERTO, TU LEUR APPRENDRAS À CHANTER.
CHEF, PAR RESPECT POUR LA MUSIQUE, SI ON LES PENDAIT TOUT DE SUITE?

DANS L'HACIENDA DE DON DOROTEO, LES PRÉPARATIFS VONT BON TRAIN—
AH! AMIGO, LA FIESTA, C'EST MERVEILLEUX! IL Y AURA DE BONNES CHOSES POUR NOUS À LA CUISINE. IL SUFFIT D'AVOIR UN PEU DE FLAIR!
J'AIMERAIS COMMENCER PAR APPRENDRE LE COUP DU SUCRE. POUR LE FLAIR, ON VERRA PLUS TARD.

VOTRE PLAN ME PARAÎT AUDACIEUX, SEÑOR LUKE.
PEUT-ÊTRE, MAIS SI LES DALTON VIENNENT, NOS SOUCIS SONT TERMINÉS.

À XOCHITECOTZINGO, C'EST L'EFFERVESCENCE... LES VÊTEMENTS CHATOYANTS SORTENT DES ARMOIRES.
JE VIENS DE CHEZ LE COIFFEUR, DOLORES. TU AS PRÉPARÉ MON COSTUME?

C'EST CURIEUX... J'AURAIS CRU QUE LE CHAPEAU T'IRAIT ENCORE..

32 A

PARTOUT LES MARIACHIS RÉPÈTENT LEURS CHANSONS, LEURS CORRIDOS, LEURS MAÑANITAS...
AY AY AY AY CANTA Y NO LLORES...

ON SE PRÉPARE AUSSI CHEZ LES BANDITS.
BON! VOUS CONNAISSEZ LES PAROLES: "QUE LINDA ES LA MAÑANA CUANDO SALE EL SOL..." ALLONS-Y!

QUE MAÑANA ES LA LINDA...
EL SOL SALE CUANDO...
CUANDO QUE LINDO EL SOL...
CUACUACOCO ME KIKKI!...
PAN!
©—MORRIS & GOSCINNY—

VOUS VOUS ÊTES BLESSÉ, CHEF?
NON.. NON.. UNE ÉGRATIGNURE... LE COUP EST PARTI....
32 B

SOUS LA DIRECTION D'ALBERTO, LE BANDIT MUSICIEN, LES EFFORTS LYRIQUES DES DALTON SE POURSUIVENT...
EN MESURE, CARAMBA! EN MESURE!
AYAYAYAYAYAYYY!

...NE LAISSANT RIEN...
AY! LA MAYONESA!

NI PERSONNE INDIFFÉRENT.
HIHI HIHIHGNNHI!..
CALMA, BUCEFALO! CALMA!

DRROÏNNNG!...

J'AI FINI CETTE GUITARE; JE PEUX EN AVOIR UNE AUTRE?
35A

EMILIO, J'AI PILLÉ, VOLÉ, RANÇONNÉ, TERRORISÉ, MAIS JE NE MÉRITAIS PAS ÇA... S'NIF!..

MENACE LES GRINGOS AVEC CETTE CORDE. ÇA LES INSPIRERA!

PLUS TARD.
AYAYAYACUACUA COME KIKIII!
C'EST CHAQUE FOIS PIRE! JE VAIS VOIR CE QUE FAIT ALBERTO!

OÙ EST ALBERTO?
IL EST PARTI PAR LÀ
AYAYAYYYY!..
© MORRIS & GOSCINNY

NO ALBERTO! NO!
LAISSEZ-MOI, EMILIO! LAISSEZ-MOI!
33 B

C'EST LE GRAND JOUR. CHARROS, PAYSANS ET INDIENS, TOUS DANS LEURS PLUS BEAUX ATOURS, SE DIRIGENT VERS LA PROPRIÉTÉ DE DON DOROTEO PRIETO, OÙ LA FIESTA A DÉJA COMMENCÉ.

JE SUIS INQUIET, AMIGO...
ÇA MARCHERA, DON DOROTEO. JE CONNAIS LES DALTON. JE RESTE ENFERMÉ ICI, ET JE SORTIRAI AU BON MOMENT. ALLEZ PRÉSIDER LA FÊTE...

ESSAYONS DE GRAPILLER QUELQUE CHOSE DE BON, AMIGO... CHACUN S'EN VA DE SON CÔTÉ, ET ON SE RETROUVE ICI AVEC LE BUTIN. JE VOUS SOUHAITE DE TOMBER SUR UN OS!

J'AIMERAIS L'ÉPATER ET LUI RAPPORTER QUELQUE CHOSE DE BON, À CE PHÉNOMÈNE...
©-MORRIS + GOSCINNY-

COCORICOO! COTCOTCOTCORICOO!...
DES POULETS! JE VAIS RAPPORTER DES POULETS!...

...COMME UN VRAI RENARD!

CARAMBA! QU'EST CE QUE C'EST QUE ÇA?
BOTTONS-LE DEHORS, POUR LUI APPRENDRE À INTERROMPRE UN COMBAT DE COQS!

ALORS, AMIGO? QUE NOUS RAPPORTEZ-VOUS?
L'IMPRESSION D'AVOIR ASSISTÉ AU DÉGRADANT SPECTACLE DE LA CRUAUTÉ ENVERS LES ANIMAUX, QU'ON DEVRAIT INTERDIRE SÉVÈREMENT!

VOUS ÊTES SPLENDIDES, AMIGOS, MAIS L'HABIT NE FAIT PAS LE MARIACHI... ÉCOUTONS VOTRE AUBADE

AYAYAYAYYYY...

LAISSEZ-MOI! MAIS LAISSEZ-MOI!...

JE VEUX EN FINIR!

JE VOUS CONSEILLE DE FAIRE LE MOINS DE MUSIQUE POSSIBLE, AMIGO
C'EST AVEC CECI QUE NOUS FERONS DE LA MUSIQUE S'IL Y A DES ENNUIS! MAIS IL N'Y EN AURA PAS ET NOUS VOUS RAMÈNERONS DON DOROTEO! ADIOS!

NOUS PROFITERONS DE LA NUIT ET DU DÉSORDRE DE LA FÊTE POUR NOUS EMPARER DE NOTRE HOMME!...
MAIS AVEC TOUT ÇA, JOE, QUAND EST-CE QU'ON CHANTE?

© MORRIS & GOSCINNY

AVERELL, DESCENDS DE CHEVAL, ÔTE TON CHAPEAU, PASSE-MOI TA GUITARE ET BAISSE-TOI.

JE ME VENGERAI! LUKYLUK DE LUKYLUK!

C'EST LE MOMENT POUR LES MARIACHIS D'OFFRIR LEURS AUBADES AU MAÎTRE DE LA MAISON...

DON EMILIO ! LES DALTON SONT DE RETOUR AVEC UN PRISONNIER !

VOILÀ COMMENT TRAVAILLENT LES DALTON !... ENFIN, LES TROIS QUARTS DES DALTON !..
HMPFFFFF !...

JE VOUS AI PEUT-ÊTRE MAL JUGÉS, AMIGOS... JE VOIS QUE LA LUTTE A ÉTÉ CHAUDE...
NON. LA GUITARE, C'EST UNE AFFAIRE DE FAMILLE...

SOYEZ LE BIENVENU CHEZ MOI, DON DOROTEO PRIETO... SI LA RANÇON QUE JE VAIS EXIGER EST PAYÉE, VOTRE SÉJOUR CHEZ MOI SERA DE COURTE DURÉE... SINON...

DÉCOUVREZ-LE !
J'AI L'IMPRESSION D'INAUGURER UN MONUMENT...
37A

UN MONUMENT À LA BÊTISE !
CE N'EST PAS DON DOROTEO !!

C'EST LUCKY LUKE ! HA HA HA !!

JE L'AVAIS RECONNU QUAND IL EST PASSÉ DEVANT MOI, SOUS LE LAMPION !... JE L'AVAIS BIEN DIT QUE J'AURAIS MA REVANCHE ! HO HO HOO !!

LAISSEZ-LE-MOI ! JE VAIS L'ÉTRANGLER !!!
TU NE PEUX PAS, JOE !..
MAIS NON. ATTENDS AU MOINS QUE NOUS LUI ENLEVIONS SA GUITARE !
© MORRIS & GOSCINNY
37B

J'AI MIEUX À FAIRE QUE DE M'OCCUPER DE CET IMBÉCILE D'AVERELL' JE VAIS DESCENDRE LUCKY LUKE!

PERSONNE NE VA DESCENDRE PERSONNE, AMIGOS... ET SI QUELQU'UN DESCEND QUELQU'UN, CE SERA MOI!..

EL SEÑOR LUCKY LUKE EST SANS DOUTE EN MESURE DE VOUS ACHETER TRÈS CHER POUR LE COMPTE DE SON GOUVERNEMENT...
COMMENT POUVEZ-VOUS SUPPORTER UNE MOUSTACHE?.. ÇA DÉMANGE...

...LUI-MÊME PAIERA UNE RANÇON EN CE QUI LE CONCERNE, S'IL VEUT AVOIR LA JOIE DE RACCOMPAGNER LES DALTON AUX ÉTATS-UNIS...

DÉSOLÉ MAIS IL N'Y AURA PAS DE RANÇON...LA FIESTA ÉTAIT UN GUET-APENS... VOTRE REPAIRE EST ENCERCLÉ...
HEIN?! VOUS NE PENSEZ PAS QUE JE VAIS CROIRE CE...

EMILIO! LA MONTAGNE EST PLEINE DE GENS QUI VIENNENT PAR ICI!
?

TU L'AURAS VOULU, GRINGO!

!

MAIS VOUS N'AVEZ MÊME PAS PENSÉ À LE DÉSARMER!? C'EST ÇA LE TRAVAIL À L'AMÉRICAINE ?!!
AU LIEU DE NOUS DISPUTER, DESCENDONS-LE! VOUS NE VOYEZ PAS QU'IL S'ÉCHAPPE?!

POURVU QUE LES RENFORTS ARRIVENT À TEMPS...QUAND ON VOYAGE SEUL À L'ÉTRANGER, LE MOINDRE INCIDENT PREND DES PROPORTIONS DRAMATIQUES!

© MORRIS + GOSCINNY
38 B

COMME TOUJOURS, LE TIR DE LUCKY LUKE EST EFFROYABLEMENT MEURTRIER...

AY! MI REVOLVER!
PAN

AY! LE PERCUTEUR DE MI REVOLVER!
PAN!

LE DOIGT QUI ME SERT À PRESSER LA GÂCHETTE DE MI REVOLVER!

AY! LA RÉSERVE DE TEQUILA!
39A

RENDEZ-VOUS, BANDIDOS! VOUS ÊTES ENCERCLÉS!
LES RENFORTS!

TA CARRIÈRE EST TERMINÉE, EMILIO ESPUELAS. TU VAS ALLER EN PRISON, ET LA RÉGION SERA DÉBARRASSÉE DE TOI!

JE N'AI PAS HONTE D'ÊTRE VAINCU PAR UN GRINGO TEL QUE LUCKY LUKE... C'EST SUR LES AUTRES QUATRE GRINGOS QUE J'AIMERAIS METTRE LA MAIN...

LES DALTON! ILS ONT FILÉ PENDANT LA BATAILLE!!
© MORRIS + GOSCINNY
39B

LES DALTON ONT DÛ FUIR DANS LA MONTAGNE.
CE SONT NOS CHIENS QUI NOUS ONT PERMIS DE VOUS SUIVRE, LUCKY LUKE. ILS TROUVERONT LA PISTE DES DALTON!

ON PEUT ESSAYER... JE VAIS VOIR SI JE TROUVE DES HABITS AYANT APPARTENU AUX DALTON À LEUR FAIRE FLAIRER.
QU'EST-CE QUE JE FAIS ICI, MOI? J'AI SUIVI LE COPAIN EN PENSANT QU'IL ME CONDUIRAIT VERS QUELQUE CHOSE DE BON À MANGER..

?
SNIF.

BON!.. QUATRE INDIVIDUS DE TAILLE ÉCHELONNÉE, BRUNS, MAL RASÉS, AVEC UNE MOUSTACHE ET UN GROS NEZ... LE PLUS GRAND A UNE GUITARE AUTOUR DU COU...

SNIF?
ALLONS-Y!

ÇA NE SE MANGE PAS, ÇA.. AUCUN INTÉRÊT.
40A

C'EST CURIEUX... CHACUN DES CHIENS PREND UNE DIRECTION OPPOSÉE.. LES DALTON SE SONT PEUT-ÊTRE SÉPARÉS. NOUS ALLONS SUIVRE VOTRE CHIEN.
SI VOUS VOULEZ. MOI, JE SUIVRAI LE VÔTRE.

TIENS, IL Y EN A UN QUI A TRÉBUCHÉ ET QUI A ÉTÉ GROSSIER ICI...

BRAVO, RODRIGUEZ! C'EST LA BONNE PISTE! ILS SONT ÉPUISÉS! ILS ABANDONNENT LEUR ÉQUIPEMENT!
IL EST ÉVIDENT QUE NOUS SOMMES SUR LEURS TALONS.

EN EFFET..
© MORRIS + GOSCINNY
JOE, NOUS SOMMES ÉPUISÉS!..
JAMAIS NOUS N'ARRIVERONS À FRANCHIR CET OBSTACLE..
IL LE FAUT! LUCKY LUKE DOIT ÊTRE SUR NOS TALONS!
40B

JACK, TU VAS MONTER SUR LES ÉPAULES D'AVERELL; WILLIAM, TU GRIMPERAS SUR CELLES DE JACK; MOI, JE ME JUCHERAI SUR LES TIENNES ET J'ATTEINDRAI LE SOMMET DE LA FALAISE. DE LÀ JE POURRAI VOUS TIRER ET VOUS HISSER.
ET MOI? JE NE JUCHE SUR PERSONNE?

ICI, EN HAUT, ÇA VA. ÇA VA, EN BAS?
ÇA VA, JOE!
ÇA VA, JOE!
41A

EH BIEN, ICI TOUT EN BAS ÇA NE VA PAS FORT... IL FAUT QUE JE M'EN AILLE...

NON! AVERELL! NE BOUGE PAS!!

MAIS JE NE PEUX PAS RESTER, JOE. LUCKY LUKE INSISTE POUR QUE JE M'EN AILLE!

TENEZ-VOUS, LES GARS! IL S'EN VA VRAIMENT!

GRIMPE, JOE!
JE NE PEUX PAS! VOUS ÊTES TROP LOURDS!
ON NE POURRA PAS TENIR LONGTEMPS COMME ÇA...
!
© MORRIS + GOSCINNY
41B

TIENS, JE NE CONNAIS PAS CE NOEUD-LÀ. MOI, J'UTILISE PLUTÔT LE NOEUD DE BOULINE DOUBLE...
WILLIAM! JOE! JE VAIS LÂCHER!!!
J'ARRNE!..

EN ROUTE, JACK.

JE N'EN PEUX PLUS, JOE! JE VAIS LÂCHER AUSSI!!
VOILÀ... VOILÀ...

JE LES CUEILLE COMME D'HORRIBLES FRUITS MÛRS...

MAIS MOI, TU NE M'AURAS PAS, LUCKY LUKE!!

?!?
AH? ET OÙ COMPTES-TU ALLER, JOE?

JE SUIS COINCÉ, MAIS TU NE M'AURAS PAS, LUCKY LUKE! TU NE M'AURAS PAS!!!
PAN!
PAN!
PAN!
PAN!

NOUS ALLONS ATTENDRE LA FIN DE L'AVERSE, LES GARS.

!
CLIC! CLIC!
© MORRIS + GOSCINNY

ALORS TU DESCENDS, JOE ?
JAMAIS!

EH BIEN, À L'ANNÉE PROCHAINE, JOE! JE VIENDRAI VOIR COMMENT S'EST PASSÉ TON SÉJOUR...

...PARCE QUE LA RÉGION N'EST PAS TRÈS FRÉQUENTÉE, ET LÀ-HAUT LA CULTURE EST RARE, ET LA PÊCHE PRATIQUEMENT NULLE... ADIOS!

À L'ANNÉE PROCHAINE, JOE! ON TÂCHERA DE S'EVADER ET...
TAIS-TOI, AVERELL!
TAIS-TOI, AVERELL!

LUCKY LUKE! ATTENDS-MOI! AIDE-MOI À DESCENDRE!
IL EST MÛR!
43A

PLUS TARD
AH! AMIGO, VOUS AVEZ EU PLUS DE CHANCE QUE NOUS! NOUS AVONS SUIVI VOTRE CHIEN DANS LA MONTAGNE, ET IL NOUS A ÉGARÉS... APRÈS NOUS AVONS ÉGARÉ VOTRE CHIEN, MAIS NOUS L'AVONS RETROUVÉ.
© MORRIS + GOSCINNY

MAIS QU'EST-CE QU'IL A À RIRE COMME ÇA? AU FOND, IL EST BÊTE COMME SES PATTES!
HI HI HI HI!...

LUCKY LUKE ET SES PRISONNIERS PRENNENT LE CHEMIN DU RETOUR... ILS QUITTENT LE MEXIQUE, TRAVERSENT LE RIO GRANDE ---

...ET SE RETROUVENT SUR LE SOL DES ÉTATS-UNIS...
...UNE... DEUX UNE... DEUX...

LES DALTON ONT RETROUVÉ LEURS HABITUDES DANS UNE NOUVELLE PRISON, MAIS LEUR ÉQUIPÉE N'AURA PAS ÉTÉ INUTILE, CAR TOUT VOYAGE EST INSTRUCTIF...
?
?
?
ÇA Y EST! JE SAIS LE DIRE! ÉCOUTEZ!

CUANDO SE COME AQUI?

ÇA VEUT DIRE QUOI, "CUACUACOME KIKI"?

VOYONS, JE VAIS ESSAYER LE TOUR DU SUCRE AVEC CE CAILLOU...

HOP! ÇA MARCHE! ÇA MARCHE!
44 A

GLOUP!

?
?

AU MINISTÈRE DE LA JUSTICE À WASHINGTON—
SON EXCELLENCE M. L'AMBASSADEUR DU MEXIQUE...

MON GOUVERNEMENT A DÉCERNÉ CETTE MÉDAILLE À M. LUCKY LUKE POUR SERVICES RENDUS À LA CAUSE DE LA PAIX ET AU RAPPROCHEMENT DE NOS DEUX GRANDS PAYS... MAIS JE NE VOIS PAS M. LUCKY LUKE...
OH! VOUS SAVEZ, M. L'AMBASSADEUR, LUCKY LUKE NE S'ATTARDE JAMAIS. C'EST UN PAUVRE COWBOY SOLITAIRE ET TOUJOURS LOIN DE SON FOYER...

I'M A POOR LONESOME COW-BOY AND A LONG WAY FROM HOME
·FIN·
© MORRIS + GOSCINNY — 44 B

Mœurs et coutumes du Mexique. — Les combats de coqs au Parral, état de Chihuahua.